Le Petit NICOLAS

LA BANDE DESSINÉE ORIGINALE

IMAV éditions
15 avenue Victor Hugo, 75116 Paris
contact@imaveditions.com
www.petitnicolas.com
www.facebook.com/lepetitnicolas

DESSINS
SEMPÉ

TEXTE
GOSCINNY

Le Petit NICOLAS
LA BANDE DESSINÉE ORIGINALE

IMAV éditions

Un jour, au printemps 1954, j'ai rencontré René Goscinny qui venait de débarquer des Etats-Unis, ce qui m'impressionnait beaucoup. On est devenus copains tout de suite. J'avais vingt et un ans, il devait en avoir vingt-sept. C'était mon premier ami parisien autant dire mon premier ami. C'était l'humour qui nous réunissait

Le Petit Nicolas c'est d'abord une histoire d'amitié. Il ne l'aurait jamais fait sans moi, mais le plus important, c'est que moi je ne l'aurais jamais fait sans lui. Nous étions de vrais complices.

Sempé.

Savez-vous qu'à l'origine *Le Petit Nicolas* de Sempé et Goscinny était une bande dessinée en couleurs ?

Sempé faisait des dessins humoristiques avec un petit garçon. Un jour il s'est associé avec Goscinny et ensemble ils ont réalisé une bande dessinée.

Dans cet album, vous allez découvrir les premiers pas du célèbre héros !

Ces 28 planches ont été publiées dans un magazine belge, *Le Moustique*, auquel collaboraient les deux jeunes auteurs.

Nous les publions dans l'ordre de parution. La première planche date du 25 septembre 1955, la dernière paraît le 20 mai 1956. À l'époque, René Goscinny multiplie les collaborations et utilise plusieurs pseudonymes. C'est pourquoi ces planches sont signées « Sempé et Agostini ».

Cette bande dessinée inaugure la collaboration du tandem que vont former Goscinny et Sempé.

Contraints d'abandonner cette formule, les deux auteurs reprendront les aventures du Petit Nicolas quelques années plus tard dans *Sud-Ouest Dimanche*. Le héros réapparaitra cette fois dans des textes écrits par Goscinny et illustrés de trois ou quatre dessins en noir et blanc de Sempé. La première histoire, sous forme de conte, paraît le 29 mars 1959.

C'est un succès, et dès l'année suivante sont publiés les célèbres recueils rassemblant pour le plaisir des enfants et de leurs parents les facéties du désormais célèbre Petit Nicolas.

L'éditeur

LES AVENTURES DE
Petit NICOLAS
PAR SEMPÉ ET AGOSTINI

LES AVENTURES DE
Petit NICOLAS

PAR SEMPÉ
ET AGOSTINI

TRA LA LA LA...MADAME LA MARQUISE... TRA LA LA LA...

VOILA TON PÈRE, NICOLAS...

OUAILLE !!

AAAAHHHHH!... MAMAN !!!...IL A MARCHÉ SUR MA PETITE AUTO !

JE T'AI DÉJÀ DIT QUE JE VEUX DE L'ORDRE DANS LE JARDIN ET QUE JE JETTERAI TOUT CE QUI TRAINE !

OUAH !

LES HISTOIRES DE CE PAUVRE VOISIN ME FERONT TOUJOURS RIGOLER !

PAS FOU, NON ??!

BLÉDURT !

REPRENDS TES DÉTRITUS!...MON JARDIN N'EST PAS UNE POUBELLE

MAIS!... MAIS!... JE N'AI ENVOYÉ QUE LA PETITE AUTO, MOI !

VITE!...NICOLAS, VA ME TROUVER TOUT CE QUI TRAINE DANS LE GRENIER ET DANS LA CAVE !

CHIC !

JE VAIS DONNER UNE LEÇON À CE MAL ÉLEVÉ !!!

UNE HEURE PLUS TARD...

MOI, J'AI RÉCUPÉRÉ MON AUTO...IL EST GENTIL, MONSIEUR BLÉDURT, DE ME LA RENVOYER.

QUELLE HORREUR!...IL FAUDRA QUE TOUT SOIT NETTOYÉ AVANT CE SOIR!...NOUS ATTENDONS DES VISITES.

Sempé 2

LES AVENTURES DE
Petit NICOLAS
PAR SEMPÉ ET AGOSTINI

LES AVENTURES DE
Petit **NICOLAS**
PAR SEMPÉ ET AGOSTINI

LES AVENTURES DE
Petit NICOLAS
PAR SEMPÉ ET AGOSTINI

Petit NICOLAS

PAR SEMPÉ
ET AGOSTINI

LES AVENTURES DE
Petit NICOLAS
PAR SEMPÉ ET AGOSTINI

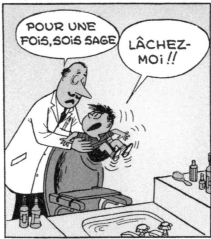

LES AVENTURES DE
Petit NICOLAS

PAR SEMPÉ ET AGOSTINI

BLÉDURT, MON AMI!...RENDS-MOI UN IMMENSE SERVICE!...INVITE NICOLAS À SOUPER CE SOIR!

ÇA NE VA PAS, NON?!

MON PATRON VIENT SOUPER CE SOIR AVEC SA FEMME...TU CONNAIS NICOLAS...IL EST GAFFEUR. GARDE-LE-MOI JUSQU'À DIX HEURES... JE T'EN SUPPLIE!

BLÉDURT!...JE N'OUBLIERAI JAMAIS CE QUE TU FAIS POUR MOI!

TÂCHE DE NE JAMAIS OUBLIER QUE TU N'OUBLIERAS JAMAIS!

AH!...ON A SONNÉ, C'EST LE PATRON!...POURVU QU'IL S'EN AILLE AVANT DIX HEURES!

ET VOTRE PETIT GARÇON?

OH!...IL EST COUCHÉ DEPUIS LONGTEMPS...

NOUS TENONS BEAUCOUP À LUI DONNER DE BONNES HABITUDES!

PENDANT CE TEMPS...

POUR TUER LE TEMPS, SI ON JOUAIT À LA BATAILLE?

OH! CHIC, MONSIEUR BLÉDURT!

LE GAGNANT A DROIT À UN VERRE D'ORANGEADE.

BATAILLE!

IL EST DIX HEURES... LES INVITÉS DE TON PÈRE DOIVENT ÊTRE PARTIS...TU DONNERAS CE CIGARE À TON PÈRE...

MERCI, M'SIEUR BLÉDURT

JE SUIS DE VOTRE AVIS... IL FAUT SOIGNER L'ÉDUCATION DES ENFANTS.

DIX HEURES!.. ILS NE S'EN VONT PAS!

BONSOIR...JE VIENS DE GAGNER UN VERRE EN JOUANT AUX CARTES...

ET IL FUME LE CIGARE!...IL JOUE AUX CARTES!...IL BOIT!!!

ON DEVRAIT PRÉVENIR LA POLICE CONTRE DES PARENTS DE CE GENRE!

LES AVENTURES DE
Petit NICOLAS
PAR SEMPÉ ET AGOSTINI

LES AVENTURES DU
Petit NICOLAS

PAR SEMPÉ
ET AGOSTINI

CE GAMIN EST IN-
CORRIGIBLE! IL TIENT
À JOUER DEHORS...
QUAND ON EST SI
BIEN DEDANS!...

NICOLAS! ENTRE
DANS LA MAISON!
IL VA PLEUVOIR!

JE PEUX
AMENER MES
PETITS
CAMARADES?...

MAIS OUI,
MAIS OUI...

QUE
S'EST-IL PASSÉ?

EH! LÀ, UN
PEU
DE...

VAS-Y,
NICOLAS!
UNE PASSE!

À
MOI!

HOURRA!

... CALME!

AAAAH!

MON ŒIL...
MON PAUVRE
ŒIL...

LES AVENTURES DU
Petit NICOLAS

PAR SEMPÉ
ET AGOSTINI

LES AVENTURES DE
Petit NICOLAS
PAR SEMPÉ ET AGOSTINI

C'EST JOLI...

PAPA!...MAMAN!... VENEZ VOIR DANS MA CHAMBRE!

OH!

C'EST BIEN HEIN?

CHUT...LAISSE-MOI FAIRE.

C'EST JOLI...TRÈS JOLI, NICOLAS...C'EST TRÈS BIEN...

MAIS ENFIN, JE NE COMPRENDS PAS.

PSYCHOLOGIE MA CHÈRE... PSYCHOLOGIE.

...LE MAL ÉTAIT FAIT... D'UN AUTRE CÔTÉ, NICOLAS ÉTAIT FIER DE LUI, LE GRONDER AURAIT PU LUI DONNER DES COMPLEXES...

PAPA! MAMAN!

COMME ÇA VOUS AVAIT PLU, J'AI FAIT UN DESSIN PLUS GRAND DANS VOTRE CHAMBRE...

LES AVENTURES DE
Petit NICOLAS
PAR SEMPÉ ET AGOSTINI

LES AVENTURES DU
Petit NICOLAS

PAR SEMPÉ
ET AGOSTINI

VIENS, NICOLAS, JE T'EMMÈNE À LA FÊTE FORAINE.

CHIC!

NOUS Y SOMMES!...TU VERRAS COMME C'EST AMUSANT!

NOUS ALLONS ALLER DANS LES AUTO-SCOOTERS!... C'EST TRÈS DRÔLE!

ÇA NE FAIT PAS MAL?

ON VA RIRE!

J'AI PEUR!

HA...HA...HA!

AAAAH!

HI...HI...HI!...

OOOOH!!!

HÉ...HÉ...HÉ!

WOUAAA!!!

MAIS IL NE FAUT PAS PLEURER, GROS BÊTA!... C'EST AMUSANT LES PETITES AUTOS!

IL NE FAUT PAS AVOIR PEUR...

PAPA!... ATTENTION!

HI...HI...HI!!!

Petit NICOLAS

PAR SEMPÉ
ET AGOSTINI

Petit NICOLAS

PAR SEMPÉ ET AGOSTINI

REGARDE COMME IL EST MIGNON!...JE SUIS ARRIVÉ À LE CONVAINCRE DE S'INTÉRESSER À LA LECTURE. IL LIT CONSTAMMENT!

HMM... ÇA NE DURERA PAS!!!

COMME TU AS ÉTÉ SAGE, JE VAIS T'EMMENER AVEC MOI FAIRE DES COURSES...

OH!...MERCI, MAMAN!

C'EST UN LIVRE TRÈS INTÉRESSANT...TU VEUX QUE JE TE LE RACONTE?...

MAIS OUI, MON CHÉRI...

C'EST L'HISTOIRE TRÈS TRISTE D'UN PETIT GARÇON TRÈS MALHEUREUX...

OUI...OUI... VOYONS OÙ SONT LES SOLDES.

TISSUS

...ET LE PETIT GARÇON PLEURAIT TOUT LE TEMPS...ET IL CRIAIT...

J'AI FAIM!... J'AI FROID!... JE SUIS SI MALHEUREUX!!

HEIN?

NON!... MAMAN!...NE ME BATS PAS!... JE SUIS MALADE!

MAIS... MAIS!

QUELLE HONTE!... LE PAUVRE PETIT MEURT DE FAIM, ET LA MÈRE S'ACHÈTE DES FRUSQUES!

DANS DES CAS PAREILS, IL FAUDRAIT FAIRE INTERVENIR LA POLICE!

MES CINQ PETITS FRÈRES ONT FAIM AUSSI!

MAIS...MAMAN, TU N'AS RIEN ACHETÉ?!

ALORS, NICOLAS, TU NE LIS PLUS?

NON, PAPA, MAMAN NE VEUT PAS...

19.

LES AVENTURES DU

Petit NICOLAS

PAR SEMPÉ
ET AGOSTINI

TIENS, C'EST BLÉDURT...

VIENS DANS MON JARDIN AVEC NICOLAS, VOISIN...

OH!...LÀ!... UNE TABLE DE PING-PONG!

REGARDE!

HEIN!...CE N'EST PAS TON PÈRE QUI S'OFFRE DES CHOSES PAREILLES!

ÇA Y EST!...BLÉDURT EST DANS SON JOUR ODIEUX!

BON!...JE VOUS PRENDS TOUS LES DEUX ET JE GAGNE.

À MOI LE SERVICE!

UN PEU FORT!... NICOLAS...

HMMM...LA BALLE A DÛ RESTER DANS LE FEUILLAGE...

JE NE CONNAIS PAS MA FORCE!

VEUX-TU QUE J'AILLE CHERCHER LA BALLE?

MAIS NON!... AÏE!...MON PANTALON A CRAQUÉ!

ÇA Y EST!... JE L'AI...

AAH!

JE NE COMPRENDS PAS PAPA, JOCELYN, JE FAIS UNE BÊTISE, ET IL M'ACHÈTE DES SUCETTES.

Sempé

21.

LES AVENTURES DU
Petit NICOLAS

PAR SEMPÉ
ET AGOSTINI

ENTREZ VITE, DOCTEUR, NICOLAS EST MALADE...

NICOLAS, J'AI UNE SURPRISE POUR TOI!

UNE SUR-PRISE?.. C'EST UN JOUET?

EUH...NON... C'EST LE DOCTEUR...

OOUUAH! OUAH!

MAIS IL NE FAUT PAS AVOIR PEUR DU DOC-TEUR, IL EST GENTIL!

HMMM...

QU'EST-CE QUE C'EST QUE ÇA?

HMMM...ALLONS, VIENS MON LAPIN.

VOYONS, NICOLAS, CE N'EST QU'UN STÉTHOSCOPE...

OUAHH!... C'EST DAN-GEREUX!

MAIS NON, CE N'EST PAS DANGEREUX, LE DOCTEUR VA L'ES-SAYER SUR MOI.

HMMM...

TU VOIS, ÇA NE FAIT PAS MAL...

HMMM!... HMMM??

QUOI?

STOP!... NE RESPIRONS PLUS!

HMMM...VENEZ, QUE JE VOUS AUSCULTE COMME IL FAUT!

MAIS HEU...HEU...

AU LIT, AU LAIT, A L'EAU, PAS DE TABAC, BISCOT-TES...

TU VOIS, PAPA, C'EST DAN-GEREUX, UN STÉPÉTOPOS-COPE!

LES AVENTURES DE
Petit NICOLAS

PAR SEMPÉ ET AGOSTINI

LES AVENTURES DU
Petit **NICOLAS**
PAR SEMPÉ ET AGOSTINI

PAPA!

AH?..HEU... HMM...OUI...

PAPA!... PAPA!... C'EST AUJOURD'HUI QUE TU M'EMMÈNES AU CINÉMA

HMMM...OUI... OUI...JE VIENS...

TU M'AS PROMIS, PAPA!...DÉPÊCHE-TOI!...ON VA RATER LE DÉBUT DU FILM!

MAIS...MAIS... OÙ VAS-TU AINSI?

JE VAIS ME PRÉ-PARER...J'AI PROMIS À NICOLAS DE L'EMMENER AU CINÉMA...

MAIS, MON PAUVRE AMI, IL EST CINQ HEURES DU MATIN!

CINQ HEURES DU MATIN!!

CINQ HEURES DU MATIN!...ET LE CINÉMA COMMENCE À DEUX HEURES DE L'APRÈS-MIDI!

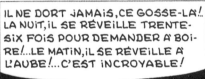

IL NE DORT JAMAIS, CE GOSSE-LÀ!... LA NUIT, IL SE RÉVEILLE TRENTE-SIX FOIS POUR DEMANDER À BOI-RE!...LE MATIN, IL SE RÉVEILLE À L'AUBE!...C'EST INCROYABLE!

NEUF HEURES PLUS TARD...

C'EST VRAI ÇA!...J'AIMERAIS SAVOIR QUAND TU DORS, POUR QUE JE PUISSE EN PROFITER POUR ME REPOSER!

DES COW-BOYS!...DES CHEVAUX!...DES RE-VOLVERS!!!...CHIC!

ET IL FAUT QUE JE PASSE MON DIMANCHE À VOIR DES FILMS POUR EN-FANTS!

ÇA TE PLAÎT, AU MOINS, NICOLAS?

29

LES AVENTURES DE *Petit* NICOLAS
PAR SEMPÉ ET AGOSTINI

ENTENDU, CHÉRI, NE TE DÉPÊCHE SURTOUT PAS !

QU'EST-CE QU'IL A DIT, PAPA ?

QU'IL EST UN PEU EN RETARD ET QU'IL VA ARRIVER DANS UN QUART D'HEURE.

AH ! BON...

IL N'EST PAS EN RETARD PARCE QU'IL A EU UN ACCIDENT ?

NON...NON, IL A BEAUCOUP DE TRAVAIL.

CE N'EST PAS COMME LE PAPA DE SYLVAIN, QUI S'EST CASSÉ LA JAMBE EN DESCENDANT DU TROTTOIR ?

NON... NON !

OU COMME LE FACTEUR, QU'ON A EMMENÉ À L'HÔPITAL APRÈS QUE LE CHIEN L'A MORDU ?

NON !

NOOON !

OU COMME LE MONSIEUR DANS LE FILM, QUI EST TUÉ PAR LES GANGSTERS ?

OU COMME...

VAS-TU TE TAIRE, NICOLAS !

AH !...BON..

ON SONNE... C'EST SÛREMENT PAPA...

TU N'AS PAS HONTE DE ME FAIRE PASSER PAR DES TERREURS PAREILLES !??!

Le Petit Nicolas dans la bande dessinée, 1956

De la planche au récit illustré

Sempé et Goscinny vont adapter certaines de leurs planches de bande dessinée en récits illustrés.

Goscinny transforme ses scénarios en histoires courtes. Sempé réalise de nouveaux dessins inspirés de la première version en bande dessinée.

C'est sous cette nouvelle forme que le Petit Nicolas deviendra célèbre.

Le Petit Nicolas dans *Les Vacances du Petit Nicolas*, 1962

LES AVENTURES DE
Petit NICOLAS

PAR SEMPÉ
ET AGOSTINI

34

Le vélo

Papa ne voulait pas m'acheter de vélo. Il disait toujours que les enfants sont très imprudents et qu'ils veulent faire des acrobaties et qu'ils cassent leurs vélos et qu'ils se font mal. Moi, je disais à papa que je serais prudent et puis je pleurais et puis je boudais et puis je disais que j'allais quitter la maison, et, enfin, papa a dit que j'aurais un vélo si j'étais parmi les dix premiers à la composition d'arithmétique.

C'est pour ça que j'étais tout content hier en rentrant de l'école, parce que j'étais dixième à la composition. Papa, quand il l'a su, il a ouvert des grands yeux et il a dit : « Ça alors, eh ben ça alors » et maman m'a embrassé et elle m'a dit que papa m'achèterait tout de suite un beau vélo et que c'était très bien d'avoir réussi ma compo-

sition d'arithmétique. Il faut dire que j'ai eu de la chance, parce qu'on n'était que onze pour faire la composition, tous les autres copains avaient la grippe et le onzième c'était Clotaire qui est toujours le dernier mais lui ce n'est pas grave parce qu'il a déjà un vélo.

Aujourd'hui, quand je suis arrivé à la maison, j'ai vu papa et maman qui m'attendaient dans le jardin avec des gros sourires sur la bouche.

« Nous avons une surprise pour notre grand garçon ! », a dit maman et elle avait des yeux qui rigolaient, et papa est allé dans le garage et il a ramené, vous ne le devinerez pas : un vélo ! Un vélo rouge et argent qui brillait, avec une lampe et une sonnette. Terrible ! Moi, je me suis mis à courir et puis, j'ai embrassé maman, j'ai

embrassé papa et j'ai embrassé le vélo. « Il faudra me promettre d'être prudent, a dit papa, et de ne pas faire d'acrobaties ! » J'ai promis, alors maman m'a embrassé, elle m'a dit que j'étais son grand garçon à elle et qu'elle allait préparer une crème au chocolat pour le dessert et elle est rentrée dans la maison. Ma maman et mon papa sont les plus chouettes du monde !

Papa, il est resté avec moi dans le jardin. « Tu sais, il m'a dit, que j'étais un drôle de champion cycliste et que si je n'avais pas connu ta mère, je serais peut-être passé professionnel ? » Ça, je ne le savais pas. Je savais que papa avait été un champion terrible de football, de rugby, de natation et de boxe, mais pour le vélo, c'était nouveau. « Je vais te montrer », a dit papa, et il s'est assis sur mon vélo et il a commencé à tourner dans le jardin. Bien sûr, le vélo était trop petit pour papa et il avait du mal avec ses genoux qui lui remontaient jusqu'à la figure, mais il se débrouillait.

« C'est un des spectacles les plus grotesques auxquels il m'ait été donné d'assister depuis la dernière fois que je t'ai vu ! » Celui qui avait parlé c'était monsieur Blédurt, qui regardait par-dessus la haie du jardin. Monsieur Blédurt c'est notre voisin, qui aime bien taquiner papa. « Tais-toi, lui a répondu papa, tu n'y connais rien au vélo ! » « Quoi ? a crié monsieur Blédurt, sache, pauvre ignorant, que j'étais champion interrégional amateur et que je serais passé professionnel si je n'avais pas connu ma femme ! » Papa s'est mis à rire. « Champion, toi ? il a dit, papa. Ne me fais

pas rire, tu sais à peine te tenir sur un tricycle ! » Ça, ça ne lui a pas plu à monsieur Blédurt. « Tu vas voir », il a dit et il a sauté par-dessus la haie. « Passe-moi ce vélo », il a dit monsieur Blédurt en mettant la main sur le guidon, mais papa refusait de lâcher le vélo. « On ne t'a pas fait signe, Blédurt, a dit papa, rentre dans ta tanière ! » « Tu as peur que je te fasse honte devant ton malheureux enfant ? » a demandé monsieur Blédurt. « Tais-toi, tiens, tu me fais de la peine, voilà ce que tu me fais ! », a dit papa, il a arraché le guidon des mains de monsieur Blédurt et il a recommencé à tourner dans le jardin. « Grotesque ! », a dit monsieur Blédurt. « Ces paroles d'envie ne m'atteignent pas », a répondu papa.

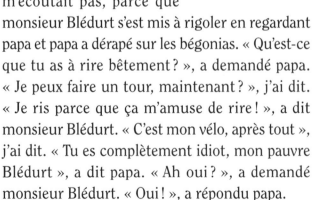

Moi, je courais derrière papa et je lui ai demandé si je pourrais faire un tour sur mon vélo, mais il ne m'écoutait pas, parce que monsieur Blédurt s'est mis à rigoler en regardant papa et papa a dérapé sur les bégonias. « Qu'est-ce que tu as à rire bêtement ? », a demandé papa. « Je peux faire un tour, maintenant ? », j'ai dit. « Je ris parce que ça m'amuse de rire ! », a dit monsieur Blédurt. « C'est mon vélo, après tout », j'ai dit. « Tu es complètement idiot, mon pauvre Blédurt », a dit papa. « Ah oui ? », a demandé monsieur Blédurt. « Oui ! », a répondu papa.

Alors, monsieur Blédurt s'est approché de papa et il a poussé papa qui est tombé avec mon vélo dans les bégonias. « Mon vélo ! », j'ai crié. Papa s'est levé et il a poussé monsieur Blédurt qui est tombé à son tour en disant : « Non mais, essaie un peu ! »

Quand ils ont cessé de se pousser l'un l'autre, monsieur Blédurt a dit : « J'ai une idée, je te fais une course contre la montre autour du pâté de maisons, on verra lequel de nous deux est le plus fort ! » « Pas question, a répondu papa, je t'interdis de monter sur le vélo de Nicolas ! D'ailleurs, gros comme tu l'es, tu le casserais, le vélo. » « Dégonflé ! », a dit monsieur Blédurt. « Dégonflé ? moi ? a crié papa, tu vas voir ! »

Papa a pris le vélo et il est sorti sur le trottoir. Monsieur Blédurt et moi nous l'avons suivi. Moi, je commençais à en avoir assez et puis je ne m'étais même pas assis sur le vélo ! « Voilà, a dit papa, on fait chacun un tour du pâté de maisons et on chronomètre, le gagnant est proclamé champion. Ce n'est d'ailleurs qu'une formalité, pour moi, c'est gagné d'avance ! » « Je suis heureux que tu reconnaisses ta défaite », a dit monsieur Blédurt.

« Et moi, qu'est-ce que je fais ? », j'ai demandé. Papa s'est retourné vers moi, tout surpris, comme s'il avait oublié que j'étais là. « Toi ? il m'a dit papa, toi ? Eh bien, toi, tu seras le chronométreur. Monsieur Blédurt va te donner sa montre. » Mais monsieur Blédurt ne voulait pas la donner, sa montre, parce qu'il disait que les enfants ça cassait tout, alors papa lui a dit qu'il était radin et il m'a donné sa montre à lui qui est chouette avec une grande aiguille qui va très vite mais moi j'aurais préféré mon vélo.

Papa et monsieur Blédurt ont tiré au sort et c'est monsieur Blédurt qui est parti le premier. Comme c'est vrai qu'il est assez gros, on ne voyait presque pas le vélo et les gens qui passaient dans la rue se retournaient en rigolant pour le regarder, monsieur Blédurt. Il n'allait pas très vite et puis, il a tourné le coin et il a disparu.

Quand on l'a vu revenir par l'autre coin, monsieur Blédurt était tout rouge, il tirait la langue et il faisait des tas de zigzags. « Combien ? », il a demandé quand il est arrivé devant moi. « Neuf minutes et la grande aiguille entre le cinq et le six », j'ai répondu. Papa s'est mis à rigoler. « Ben mon vieux, il a dit, avec toi, le Tour de France ça durerait six mois ! » « Plutôt que de te livrer à des plaisanteries infantiles, a répondu monsieur Blédurt qui avait du mal à respirer, essaie de faire mieux ! » Papa a pris le vélo et il est parti.

Monsieur Blédurt qui reprenait sa respiration et moi qui regardais la montre, on attendait. Moi, je voulais que papa gagne, bien sûr, mais la montre avançait et on a vu neuf minutes et puis après dix minutes. « J'ai gagné ! Je suis le champion ! », a crié monsieur Blédurt.

À quinze minutes, on ne voyait toujours pas revenir papa. « C'est curieux, a dit monsieur Blédurt, on devrait aller voir ce qui s'est passé. » Et puis, on a vu papa qui arrivait. Il arrivait à pied. Il avait le pantalon déchiré, il avait son mouchoir sur le nez et il tenait le vélo à la main. Le vélo qui avait le guidon de travers, la roue toute tordue et la lampe cassée. « Je suis rentré dans une poubelle », a dit papa.

Le lendemain, j'en ai parlé pendant la récré à Clotaire. Il m'a dit qu'il lui était arrivé à peu près la même chose avec son premier vélo.

« Qu'est-ce que tu veux, il m'a dit, Clotaire, les papas, c'est toujours pareil, ils font les guignols, et, si on ne fait pas attention, ils cassent les vélos et ils se font mal. »

LES AVENTURES DE Petit NICOLAS

PAR SÉMPÉ
ET AGOSTINI

J'ESPÈRE QUE TU VAS ÊTRE SAGE À LA PLAGE!

OUI MAMAN JE JOUERAI AVEC LE SABLE.

ICI, ON SERA TRÈS BIEN.

RRRR!

JE VAIS FAIRE UN TROU...

MOI, J'AIME FAIRE DES TROUS!

NICOLAS!...SORS DE LÀ ET RECOUVRE CE TROU!...C'EST TRÈS DANGEREUX CE QUE TU FAIS LÀ!...QUAND TU AURAS FINI, ON IRA SE BAIGNER.

TU AS DÉJÀ FINI?.. VIENS... AU PAS DE COURSE, MON GARÇON, AU PAS DE COURSE.

RRRR!

OUAILLE!!

IL Y A TROP DE BRUIT ICI... JE VAIS DORMIR AILLEURS.

TU NE M'AS PAS DIT AVEC QUOI LE RECOUVRIR, LE TROU!...ALORS J'AI VU UN JOURNAL...

LE PETIT EST BIEN SAGE... ON NE L'ENTEND PLUS...PAS PLUS QUE LE PETIT MONSIEUR QUI RONFLAIT TOUT À L'HEURE...

VA LE CHERCHER, IL SE FAIT TARD...

COMME JE NE POUVAIS PAS FAIRE DES TROUS, J'AI FAIT DES MONTAGNES, J'AI PRIS DU SABLE AUTOUR...

IL A DÛ ENTERRER LE PETIT MONSIEUR!

POURQUOI QUE LUI, IL A LE DROIT DE FAIRE DES TROUS, ET MOI PAS!...HEIN!...POURQUOI?

MAIS OÙ EST-IL?...OÙ EST-IL???!!

La plage, c'est chouette

À la plage, on rigole bien. Je me suis fait des tas de copains, il y a Blaise, et puis Fructueux, et Mamert; qu'il est bête celui-là! Et Irénée et Fabrice et Côme et puis Yves, qui n'est pas en vacances parce qu'il est du pays et on joue ensemble, on se dispute, on ne se parle plus et c'est drôlement chouette.

« Va jouer gentiment avec tes petits camarades, m'a dit papa ce matin, moi je vais me reposer et prendre un bain de soleil. » Et puis, il a commencé à se mettre de l'huile partout et il rigolait en disant: « Ah! quand je pense aux copains qui sont restés au bureau! »

Nous, on a commencé à jouer avec le ballon d'Irénée. « Allez jouer plus loin », a dit papa, qui avait fini de se huiler, et bing! le ballon est tombé sur la tête de papa. Ça, ça ne lui a pas plu à papa. Il s'est fâché tout plein et il a donné un gros coup de pied dans le ballon qui est allé tomber dans l'eau, très loin. Un shoot terrible. « C'est vrai ça, à la fin », a dit papa. Irénée est parti en courant et il est revenu avec son papa. Il est drôlement grand et gros le papa d'Irénée, et il n'avait pas l'air content.

– C'est lui! a dit Irénée en montrant papa du doigt.

– C'est vous, a dit le papa d'Irénée à mon papa, qui avez jeté dans l'eau le ballon du petit?

– Ben oui, a répondu

mon papa au papa d'Irénée, mais ce ballon, je l'avais reçu dans la figure.

– Les enfants, c'est sur la plage pour se détendre, a dit le papa d'Irénée, si cela ne vous plaît pas, restez chez vous. En attendant, ce ballon, il faut aller le chercher.

– Ne fais pas attention, a dit maman à papa. Mais papa a préféré faire attention.

– Bon, bon, il a dit, je vais aller le chercher ce fameux ballon.

– Oui, a dit le papa d'Irénée, moi à votre place j'irais aussi.

Papa, ça lui a pris du temps d'aller chercher le ballon, que le vent avait poussé très loin. Il avait l'air fatigué, papa, quand il a rendu le ballon à Irénée et il nous a dit :

– Écoutez, les enfants, je veux me reposer tranquille. Alors, au lieu de jouer au ballon, pourquoi ne jouez-vous pas à autre chose ?

– Ben, à quoi par exemple, hein, dites ? a demandé Mamert. Qu'il est bête, celui-là !

– Je ne sais pas, moi, a répondu papa, faites des trous, c'est amusant de faire des trous dans le sable. Nous, on a trouvé que c'était une idée terrible et on a pris nos pelles pendant que papa a voulu commencer à se rehuiler, mais il n'a pas pu, parce qu'il n'y avait plus d'huile dans la bouteille. « Je vais aller en acheter au magasin, au bout de la promenade », a dit papa, et maman lui a demandé pourquoi il ne restait pas un peu tranquille.

On a commencé à faire un trou. Un drôle de trou, gros et profond comme tout. Quand papa est revenu avec sa bouteille d'huile, je l'ai appelé et je lui ai dit :

– T'as vu notre trou, papa ?

– Il est très joli, mon chéri, a dit papa, et il a essayé de déboucher sa bouteille d'huile avec ses dents. Et puis, est venu un monsieur avec une casquette blanche et il nous a demandé qui nous avait permis de faire ce trou dans sa plage. « C'est lui, m'sieur ! », ont dit tous mes copains en montrant papa. Moi j'étais très fier, parce que je croyais que le monsieur à la casquette allait féliciter papa. Mais le monsieur n'avait pas l'air content.

– Vous n'êtes pas un peu fou, non, de donner des idées comme ça aux gosses ? a demandé le monsieur. Papa, qui travaillait toujours à déboucher sa bouteille d'huile, a dit : « Et alors ? » Et alors, le monsieur à la casquette s'est mis à crier que c'était incroyable ce que les gens étaient inconscients, qu'on pouvait se casser une jambe en tombant dans le trou, et qu'à marée haute, les gens qui ne savaient pas nager perdraient pied et se noieraient dans le trou, et que le sable pouvait s'écrouler et qu'un de nous risquait de rester dans le trou, et qu'il pouvait se passer des tas de choses terribles dans le trou et qu'il fallait absolument reboucher le trou.

– Bon, a dit papa, rebouchez le trou, les enfants. Mais les copains ne voulaient pas reboucher le trou.

– Un trou, a dit Côme, c'est amusant à creuser, mais c'est embêtant à reboucher.

– Allez, on va se baigner ! a dit Fabrice. Et ils sont tous partis en courant. Moi je suis resté, parce que j'ai vu que papa avait l'air d'avoir des ennuis.

– Les enfants ! Les enfants ! il a crié papa, mais le monsieur à la casquette a dit :

– Laissez les enfants tranquilles et rebouchez-moi ce trou en vitesse ! Et il est parti.

Papa a poussé un gros soupir et il m'a aidé à reboucher le trou. Comme on n'avait qu'une seule petite pelle, ça a pris du temps et on avait à peine fini que maman a dit qu'il était l'heure de rentrer à l'hôtel pour déjeuner, et qu'il fallait se dépêcher, parce que, quand on est en retard, on ne vous sert pas, à l'hôtel.

« Ramasse tes affaires, ta pelle, ton seau et viens », m'a dit maman. Moi j'ai pris mes affaires, mais je n'ai pas trouvé mon seau. « Ça ne fait rien, rentrons », a dit papa. Mais moi, je me suis mis à pleurer plus fort.

Un chouette seau, jaune et rouge, et qui faisait des pâtés terribles. « Ne nous énervons pas, a dit papa, où l'as-tu mis, ce seau ? » J'ai dit qu'il était peut-être au fond du trou, celui qu'on venait de boucher.

Papa m'a regardé comme s'il voulait me donner une fessée, alors je me suis mis à pleurer plus fort et papa a dit que bon, qu'il allait le chercher le seau, mais que je ne lui casse plus les oreilles. Mon papa, c'est le plus gentil de tous les papas !

Comme nous n'avions toujours que la petite pelle pour les deux, je n'ai pas pu aider papa et je le regardais faire quand on a entendu une grosse voix derrière nous : « Est-ce que vous vous fichez de moi ? » Papa a poussé un cri, nous nous sommes retournés et nous avons vu le monsieur à la casquette blanche. « Je crois me souvenir que je vous avais interdit de faire des trous », a

dit le monsieur. Papa lui a expliqué qu'il cherchait mon seau. Alors, le monsieur lui a dit que d'accord, mais à condition qu'il rebouche le trou après. Et il est resté là pour surveiller papa.

« Écoute, a dit maman à papa, je rentre à l'hôtel avec Nicolas. Tu nous rejoindras dès que tu auras retrouvé le seau. » Et nous sommes partis. Papa est arrivé très tard à l'hôtel, il était fatigué, il n'avait pas faim et il est allé se coucher. Le seau, il ne l'avait pas trouvé, mais ce n'est pas grave, parce que je me suis aperçu que je l'avais laissé dans ma chambre. L'après-midi, il a fallu appeler un docteur, à cause des brûlures de papa. Le docteur a dit à papa qu'il devait rester couché pendant deux jours.

– On n'a pas idée de s'exposer comme ça au soleil, a dit le docteur, sans se mettre de l'huile sur le corps.

– Ah ! a dit papa, quand je pense aux copains qui sont restés au bureau !

Mais il ne rigolait plus du tout en disant ça.

BIOGRAPHIE DE
RENÉ GOSCINNY

« Je suis né le 14 août 1926 à Paris et me suis mis à grandir aussitôt après. Le lendemain, c'était le 15 août et nous ne sommes pas sortis. »

Sa famille émigre en Argentine où il suit toute sa scolarité au Collège français de Buenos Aires : « J'étais en classe un véritable guignol. Comme j'étais aussi plutôt bon élève, on ne me renvoyait pas. » C'est à New York qu'il commence sa carrière.

Rentré en France au début des années 1950, il donne naissance à toute une série de héros légendaires. Goscinny imagine les aventures du Petit Nicolas avec Jean-Jacques Sempé, inventant un langage de gosse qui va faire le succès du célèbre écolier.

Puis Goscinny crée *Astérix* avec Albert Uderzo. Le triomphe du petit Gaulois sera phénoménal. Traduites en 107 langues et dialectes, les aventures d'Astérix font partie des œuvres les plus lues dans le monde. Auteur prolifique, il réalise en même temps *Lucky Luke* avec Morris, *Iznogoud* avec Tabary, *Les Dingodossiers* avec Gotlib, etc.

À la tête du journal *Pilote*, il révolutionne la bande dessinée, l'érigeant au rang de « 9e art ».

Cinéaste, Goscinny crée les Studios Idéfix avec Uderzo et Dargaud. Il réalise quelques chefs-d'œuvre du dessin animé : *Astérix et Cléopâtre, Les Douze Travaux d'Astérix, Daisy Town* et *La Ballade des Dalton*. Il recevra à titre posthume un César pour l'ensemble de son œuvre cinématographique.

Le 5 novembre 1977, René Goscinny meurt à l'âge de 51 ans. Hergé déclare : « Tintin s'incline devant Astérix. »

Ses héros lui ont survécu et nombre de ses formules sont passées dans notre langage quotidien : « tirer plus vite que son ombre », « devenir calife à la place du calife », « être tombé dedans quand on était petit », « trouver la potion magique », « ils sont fous ces Romains »...

Scénariste de génie, c'est avec les aventures du Petit Nicolas, enfant malicieux aux frasques redoutables et à la naïveté touchante, que Goscinny donne toute la mesure de son talent d'écrivain. Ce qui lui fera dire : « J'ai une tendresse toute particulière pour ce personnage. »

BIOGRAPHIE DE
JEAN-JACQUES SEMPÉ

« Quand j'étais gosse, le chahut était ma seule distraction. »

Sempé est né le 17 août 1932 à Bordeaux. Études plutôt mauvaises, renvoyé pour indiscipline du Collège moderne de Bordeaux, il se lance dans la vie active : homme à tout faire chez un courtier en vin, moniteur de colonies de vacances, garçon de bureau…

À 18 ans, il devance l'appel, puis monte à Paris. Il écume les salles de rédaction et, en 1951, il vend son premier dessin à *Sud Ouest*. Sa rencontre avec Goscinny coïncide avec les débuts d'une fulgurante carrière de « dessinateur de presse ». Avec *Le Petit Nicolas*, il campe une inoubliable galerie de portraits d'affreux jojos qui tapissent depuis notre imaginaire. Parallèlement aux aventures du petit écolier, il débute à *Paris Match* en 1956 et collabore à de très nombreuses revues.

Son premier album de dessins paraît en 1962 : *Rien n'est simple*. Une trentaine suivront, chefs-d'œuvre d'humour traduisant à merveille sa vision tendrement ironique de nos travers et des travers du monde.

Créateur de Marcellin Caillou, de Raoul Taburin, ou encore de Monsieur Lambert, il allie son talent d'observateur à un formidable sens du dérisoire qui en font depuis quarante ans l'un des plus grands dessinateurs français.

Outre ses propres albums, il a illustré *Catherine Certitude,* de Patrick Modiano, ou encore *L'Histoire de Monsieur Sommer,* de Patrick Süskind.

Sempé est l'un des rares dessinateurs français à illustrer les couvertures du très prestigieux *New Yorker,* et il a longtemps fait sourire des milliers de lecteurs de *Paris Match…*

BIBLIOGRAPHIE DE
RENÉ GOSCINNY

ÉDITIONS HACHETTE / ALBERT RENÉ

Astérix, 25 volumes (avec Uderzo)

Astérix, *2 hors série* (avec Uderzo)

Astérix, *9 albums*, Uderzo sous la double signature Goscinny et Uderzo

Astérix, 3 albums de Jean-Yves Ferry et Didier Conrad
d'après Goscinny et Uderzo

Astérix, 6 albums d'après les dessins animés et les films

Oumpah-Pah, 3 volumes (avec Uderzo)

Jehan Pistolet, 4 volumes (avec Uderzo)

Luc Junior, L'intégrale (avec Uderzo)

Benjamin et Benjamine. Les naufragés de l'air (avec Uderzo)

ÉDITIONS DUPUIS

Lucky Luke, 22 volumes (avec Morris)

Jerry Spring. La piste du Grand Nord (avec Jijé)

ÉDITIONS LUCKY COMICS

Lucky Luke, 19 volumes (avec Morris)

ÉDITIONS DARGAUD

Les Dingodossiers, 3 volumes (avec Gotlib)

Iznogoud, 8 volumes (avec Tabary)

Les Divagations de Monsieur Sait-Tout (avec Martial)

ÉDITIONS DU LOMBARD

Modeste et Pompon, 3 volumes (avec Franquin)

Chick Bill. La bonne mine de Dog Bull (avec Tibet)

Spaghetti, 11 volumes (avec Attanasio)

Strapontin, 6 volumes (avec Berck)

ÉDITIONS DENOËL

La Potachologie, 2 volumes (avec Cabu)

Les Interludes

ÉDITIONS TABARY

Valentin le vagabond (avec Tabary)

ÉDITIONS VENTS D'OUEST

Les Archives Goscinny, 4 volumes

ÉDITIONS KUNEN PUBLISHERS

Playtime Stories (avec Fred Ottenheimer)

The Monkey in the Zoo (avec Fred Ottenheimer)

Water Pistol Pete and Flying Arrow (avec Fred Ottenheimer)

The Little Red Car (avec Elliot Liebow et Harvey Kurtzman)

Round the World (avec Elliot Liebow et Harvey Kurtzman)

The Jolly Jungle (avec Elliot Liebow et Harvey Kurtzman)

BIBLIOGRAPHIE DE
JEAN-JACQUES SEMPÉ

ÉDITIONS DENOËL

Rien n'est simple (1962)

Tout se complique (1963)

Sauve qui peut (1964)

Monsieur Lambert (1965)

La Grande Panique (1966)

Saint-Tropez (1968)

L'Information consommation (1968)

Marcellin Caillou (1969, 1994)

Des hauts et des bas (1970, 2003)

Face à face (1972)

Bonjour, bonsoir (1974)

L'Ascension sociale de Monsieur Lambert (1975)

Simple question d'équilibre (1977, 1992)

Un léger décalage (1977)

Les Musiciens (1979)

Comme par hasard (1981)

De bon matin (1983)

Vaguement compétitif (1985)

Luxe, calme et volupté (1987)

Par avion (1989)

Vacances (1990)

Âmes sœurs (1991)

Insondables mystères (1993)

Raoul Taburin (1995)

Grands rêves (1997)

Beau temps (1999)

Le Monde de Sempé - vol. I (2001)

Multiples intentions (2003)

Le Monde de Sempé - vol. II (2004)

Monsieur Lambert,
suivi de *L'Ascension sociale de Monsieur Lambert* (2006)

Sentiments distingués (2007)

**ÉDITIONS DENOËL /
ÉDITIONS MARTINE GOSSIEAUX**

Sempé à New York (2009)

Enfances (2011)

Bourrasques et accalmies (2013)

Sincères amitiés (2015)

ÉDITIONS MARTINE GOSSIEAUX

Saint-Tropez forever (2010)

Un peu de Paris et d'ailleurs (2011)

ÉDITIONS GALLIMARD

L'Histoire de Monsieur Sommer (avec Patrick Süskind) (1991)

Catherine Certitude (avec Patrick Modiano) (1998)

Un peu de Paris (2001)

Un peu de la France (2005)

CHEZ IMAV ÉDITIONS

DES MÊMES AUTEURS

Le Petit Nicolas - La bande dessinée originale
Le Petit Nicolas
Les récrés du Petit Nicolas
Les vacances du Petit Nicolas
Le Petit Nicolas et les copains
Le Petit Nicolas a des ennuis
La rentrée du Petit Nicolas
Les bêtises du Petit Nicolas
Le Petit Nicolas et ses voisins
Les surprises du Petit Nicolas
Le Petit Nicolas voyage
Le Petit Nicolas. C'est Noël!
Le Petit Nicolas s'amuse
Les bagarres du Petit Nicolas
Le Petit Nicolas. Le ballon

EN ÉDITIONS INTÉGRALES

Les Premières Histoires du Petit Nicolas
Histoires inédites du Petit Nicolas vol. I
Histoires inédites du Petit Nicolas vol. II
Le Petit Nicolas. Le ballon et autres histoires inédites

HORS COLLECTION

Pullus Nicolellus, Le Petit Nicolas en latin

Le Petit Nicolas fait du sport
en coédition avec *L'Équipe*

Le Petit Nicolas et Alain Ducasse font des gâteaux
en coédition avec Alain Ducasse éditions

COLLECTION LANGUES DE FRANCE

Le Petit Nicolas en corse
Le Petit Nicolas en breton
Le Petit Nicolas en yiddish
Le Petit Nicolas en arabe maghrébin
Le Petit Nicolas en créole de Guadeloupe
Le Petit Nicolas en créole de Guyane
Le Petit Nicolas en créole de Martinique
Le Petit Nicolas en créole de la Réunion,
Le Petit Nicolas en picard
Le Petit Nicolas en arménien occidental
Le Petit Nicolas en vosgien lorrain
Le Petit Nicolas en gascon - Langue d'oc
Le Petit Nicolas en provençal - Langue d'oc
Le Petit Nicolas en niçois - Langue d'oc

D'APRÈS GOSCINNY & SEMPÉ

Le Roman du film. Les vacances du Petit Nicolas
L'Album du film. Les vacances du Petit Nicolas

RENÉ GOSCINNY

Du Panthéon à Buenos Aires
René Goscinny – Chroniques illustrées

Tous les visiteurs à terre!
René Goscinny – Roman illustré

René Goscinny, mille et un visages
Présenté par José-Louis Bocquet – Collectif

IZNOGOUD - GOSCINNY & TABARY

Iznogoud et le tapis magique
Iznogoud l'acharné
La Tête de turc d'Iznogoud
Le Conte de fées d'Iznogoud
Je veux être calife à la place du calife
Les Cauchemars d'Iznogoud tome I
L'Enfance d'Iznogoud
Iznogoud et les femmes
Les Cauchemars d'Iznogoud tome IV
Le Complice d'Iznogoud
L'Anniversaire d'Iznogoud
Iznogoud enfin calife!
Le Piège de la sirène
Les Cauchemars d'Iznogoud tome II
Les Cauchemars d'Iznogoud tome III
Les Retours d'Iznogoud
Qui a tué le calife?
Un monstre sympathique
La Faute de l'ancêtre
Les Mille et Une Nuits du calife
Iznogoud président
Iznogoud de père en fils

EN ÉDITIONS INTÉGRALES

Iznogoud, 25 histoires de Goscinny et Tabary de 1962 à 1978
Iznogoud, 6 histoires de Jean Tabary de 1978 à 1989
Iznogoud, 6 histoires de Jean Tabary de 1990 à 2004

L'ensemble des ouvrages du Petit Nicolas sont disponibles en librairie et/ou en édition numérique.

www.imaveditions.com

Directeur éditorial : Aymar du Chatenet
Conception et maquette : Martine Gossieaux et Floriane Ricard
Couverture : Philippe Ghielmetti

Photogravure : Taïga Media
Achevé d'imprimer par Pollina en août 2017 - 81727A
Dépôt légal : octobre 2017

N° d'éditeur : 2-912732
ISBN : 978-2-36590-136-9

PEFC
10-31-2065